诱敌的发光鱼

动物大世界

拼音读物

今从容创意策划中心　编绘

中国少年儿童出版社

封 面 设 计：田家雨
文字责任编辑：李 枫
美术责任编辑：马 际

动物大世界

诱敌的发光鱼

中国少年儿童出版社出版发行

社址：北京东四 12 条 21 号 邮编：100708
山东新华印刷厂德州厂印刷 新华书店经销
787 × 1092 1/24 7.5 印张 印数：21000 册
1999 年 9 月山东第 1 版 1999 年 9 月山东第 1 次印刷
ISBN7-5007-4994-5/G·3786 定价：20.00 元
凡有印装问题，可向本社出版科调换

目 录

cháng yán dào　　gǒu dǎi hào zi
常言道"狗逮耗子，

duō guǎn xián shì
多管闲事"。

zài wǒ guó shān xī yī nóng mín jiā zhōng què yǎng le yī zhī huì dǎi lǎo shǔ de dà huáng gǒu

在我国山西一农民家中却养了一只会逮老鼠的大黄狗。

měi tiān wǎn shang　　tā　jiù xiàng māo yī　yàng shǒu zài lǎo shǔ dòng kǒu
每天晚上，它就像猫一样守在老鼠洞口。

yī jiàn lǎo shǔ chū dòng　　tā biàn měng pū shàng qù jiāng lǎo shǔ jiù dì　zhèng fǎ
一见老鼠出洞，它便猛扑上去将老鼠就地"正法"。

wā　zhuō dào zhè me duō　　dà huáng gǒu
哇！捉到这么多。大黄狗
jiāo ào de jiāng zhàn lì pǐn bǎi chéng yī pái　 xiàng
骄傲的将战利品摆成一排，向
zhǔ rén xiǎn shì zhàn gōng
主人显示战功。

5

会演戏的小哈巴狗

jiā chù zhōng zuì yì xùn yǎng   zuì zhōng yú zhǔ rén   néng xié
家畜中最易驯养、最忠于主人、能协

zhù zhǔ rén gōng zuò de   yào suàn shì gǒu le
助主人工作的，要算是狗了。

其中一种小哈巴狗，更是人
们喜爱饲养、作为玩赏的狗。

wǒ guó shàng hǎi zá jì tuán xùn yǎng de yī
我国上海杂技团驯养的一
zhī xiǎo hǎ ba gǒu fēi fei   néng biǎo yǎn
只小哈巴狗"菲菲"，能表演
gè zhǒng zá jì
各种杂技！

hòu lái   tā bèi zèng gěi ér tóng jù yuàn cān jiā yǎn chū

后来，它被赠给儿童剧院参加演出。

yóu yú tā de chū sè biǎo yǎn fēi fei hěn kuài chéng le dòng wù yǐng hòu
由于它的出色表演，菲菲很快成了动物影后。

10

鼠类运动会

喜跳的老鼠

jīn tiān shì shǔ lèi jiā zú zhōng yī nián
今天是鼠类家族中一年
yī dù de yùn dòng bǐ sài de rì zi
一度的运动比赛的日子。

bǐ sài xiàng mù yǒu
比赛项目有

qiān qiú   tiào yuǎn   cháng
铅球、跳远、长

pǎo děng   zhēn shì bié kāi
跑等，真是别开

shēng miàn
生面。

zài shā kēng páng zhèng yǒu jǐ zhī
在沙坑旁正有几只

xiǎo tiào shǔ zài yuè yuè yù shì ne
小跳鼠在跃跃欲试呢!

13

yī   èr   sān   suí
"一、二、三。"随

zhe shào shēng   bǐ sài kāi shǐ le
着哨声，比赛开始了。

14

这些小跳鼠极其善跳，每秒钟竟可跳五米多远。

15

zuì hòu lái zì āi jí de tiào
最后，来自埃及的跳
shǔ wèi jū běn cì bǐ sài de dì yī míng
鼠位居本次比赛的第一名。

16

tǔ bō shǔ shì yī zhǒng pǔ tōng de bǔ rǔ xiǎo dòng wù
土拨鼠是一种普通的哺乳小动物。

避免近亲婚配的土拨鼠

17

別看我个小，但我懂近亲不能婚配。

当雄鼠成熟后，便离开本族到别的家族去婚配。

nà me　　　běn zú cí shǔ zěn me bàn ne
那么，本族雌鼠怎么办呢？

20

dāng rán yóu wài zú xióng shǔ tái zhe huā jiào lái yíng qǔ le
当然由外族雄鼠抬着花轿来迎娶了。

踩不死的老鼠

cháng yán shuō māo yǒu jiǔ tiáo mìng
"常言说猫有九条命，

wǒ lǎo shǔ hái yǒu shí bā tiáo mìng ne
我老鼠还有十八条命呢！"

22

zài fēi zhōu · běi bù ní rì ěr de píng yuán hé qiū líng dì dài shēng huó

在非洲北部尼日尔的平原和丘陵地带，生活

zhe yī zhǒng cǎi bù sǐ de lǎo shǔ

着一种踩不死的老鼠。

23

tā quán shēn jī ròu sōng ruǎn ér fù yǒu tán xìng
它全身肌肉松软而富有弹性。

24

“砰！”一头大象不
小心踩在了不死鼠身上。

25

dāng dà xiàng yī tí jiǎo　　bù sǐ shǔ
当大象一提脚，不死鼠

jiù xùn sù de zhàn qǐ　　liū zhī dà jí le
就迅速地站起，溜之大吉了。

26

shù xióng shì ào dà lì yà yǒu dài lèi dòng wù zhī
树熊是澳大利亚有袋类动物之

yī yě jiào shù dài shǔ huò tǔ shǔ
一，也叫"树袋鼠"或"土鼠"。

tā tǐ tài féi pàng　wài xíng sì
它体态肥胖，外形似
xióng　miàn mào huá jī ér kě ài
熊，面貌滑稽而可爱。

28

shù xióng cháng nián jū zhù zài shù
树熊长年居住在树
shang zhuān yǐ ān yè wéi shí
上，专以桉叶为食。

小树熊要在
母亲的育儿袋里
生活六个月，才
可离袋骑在母亲
背上。

30

看，如果小树熊
kàn　　 rú guǒ xiǎo shù xióng

不乖，母亲便会用手
bù guāi　　 mǔ qīn biàn huì yòng shǒu

掌打它的屁股。
zhǎng dǎ tā de pì gu

yóu yú tā wēn shùn
由 于 它 温 顺
ér shàn liáng huá jī kě
而 善 良 ， 滑 稽 可
ài suǒ yǐ rén men zǒng
爱 ， 所 以 人 们 总
xǐ huān bào zhe tā wán
喜 欢 抱 着 它 玩

zài ào dà lì yà yǒu zhǒng qí yì de dài xióng　tā de yá chǐ zhōng shēng dōu zài shēng zhǎng

在澳大利亚有种奇异的袋熊，它的牙齿终生都在生长。

33

袋熊是昼伏夜出的动物，在地下建造"卧室"。

qiáo wǒ dǎ zào de jiā jù hái bù cuò ba
"瞧，我打造的家具还不错吧？"

35

dài xióng xìng qíng wēn shùn　　bù fā
袋熊性情温顺，不发
pí qì　　kě　yǔ rén wán shuǎ
脾气，可与人玩耍。

36

袋熊还非常
愿意让人抱在怀
里睡大觉呢！

37

cāi cai kàn　　xióng lèi zhōng nǎ　yī zhǒng ài jiǎng wèi shēng
猜猜看，熊类中哪一种爱讲卫生？

是浣熊。它是一个长有

毛茸茸长尾巴、"戴"着

小面罩"的小家伙。

39

tā yǔ wǒ guó de dà xióng māo yǎn rán shì yī duì jiě mèi huā
它与我国的大熊猫俨然是一对姐妹花。

有趣的是，每当浣熊逮到鱼、虾
yǒu qù de shì　měi dāng huàn xióng dǎi dào yú　xiā

等食物时总是在水里洗来洗去。
ěng shí wù shí zǒng shì zài shuǐ li xǐ lái xǐ qù

41

wā　　tā zài yòng cān qián hái yào bù tíng de xǐ shǒu
哇！它在用餐前还要不停地洗手。

bù shì huàn xióng ài jiǎng qīng jié ér shì tā yǒu wán shuǎ shuǐ zhōng liè wù de xí guàn
不是浣熊爱讲清洁，而是它有玩耍水中猎物的习惯。

43

老实温顺的貉

lǎo shi wēn shùn de hé qī jū zài qiū líng
老实温顺的貉栖居在丘陵
hé cǎo yuán dì qū de hé gǔ hé xī biān
和草原地区的河谷和溪边。

它长相似小牧羊犬，故人们叫它为"土狗"。

hé xíng dòng guǐ mì   zǒng shì
貉 行 动 诡 秘 ， 总 是

bái tiān shuì jiào   yè jiān huó dòng
白 天 睡 觉 ， 夜 间 活 动 。

lǎn duò de hé bù yuàn wā dòng   cháng xiàng huān jiè sù
懒惰的貉不愿挖洞，常向獾借宿。

47

dàn shì　　tā yào gěi　　fáng zhǔ　　huān xiān sheng yùn shū shí wù　　cái kě jiè sù
但是，它要给"房主"獾先生运输食物，才可借宿。

48

貉的皮毛随季节变化而变颜色，其皮毛是高级皮毛材料。

49

长脖子的乌龟蛙

zhè zhǒng zhǎng xiàng qí tè de qīng wā
这种长相奇特的青蛙
shēng huó zài ào dà lì yà xī bù
生活在澳大利亚西部。

wū guī jiàn le tā
乌龟见了它

zǒng shì qí guài
总是奇怪。

51

shuō bù qīng chu de shì qing xiān
说不清楚的事情先
gē yī biān ér   dù zi è le
搁一边儿，肚子饿了，
qù jiě jué wēn bǎo wèn tí
去解决温饱问题。

52

guī wā yòng tā
龟蛙用它
yǒu lì de qián tuǐ
有力的前腿，
wā kāi le yī gè mǎ
挖开了一个蚂
yǐ dòng kāi shǐ chī
蚁洞，开始吃
tā fēng shèng de wǎn cān
它丰盛的晚餐
le
了。

发光照明的蛙

tīng tīng zhè zhǒng wā zài chàng shén
听听这种蛙在唱什
me gē wǒ hěn chǒu dàn shì
么歌："我很丑，但是
wǒ hěn yǒu yòng
我很有用……"

54

shēng huó zài ào dà lì yà de zhè zhǒng nán
生活在澳大利亚的这种难
kàn de wā jiū jìng yǒu shén me yòng
看的蛙，究竟有什么用？

55

夜晚，这种
丑蛙的身体发出
闪闪的黄光。

56

当地居
dāng dì jū

民把它捉来
mín bǎ tā zhuō lái

当"灯笼"
dāng dēng lóng

用。
yòng

57

武场

喷火的青蛙

wèi le shēng cún　　wú lùn shì shuí dōu
为了生存，无论是谁都
děi liàn jǐ shǒu fáng shēn de běn lǐng
得练几手防身的本领。

58

yìn dù ní xī yà zhǎo wā dǎo shang yǒu zhǒng
印度尼西亚爪哇岛上有种
néng cóng zuǐ li pēn shè huǒ yàn de qīng wā
能从嘴里喷射火焰的青蛙。

有了这样厉害的
武器，一般的敌人它
都不放在眼里了。

60

yuán lái   zhè zhǒng qīng wā tǐ
原来，这种青蛙体
nèi fēn mì de yī zhǒng huī fā yóu
内分泌的一种挥发油，
cóng kǒu zhōng pēn shè chū lái   yù dào
从口中喷射出来，遇到
kōng qì jiù xíng chéng huǒ yàn le
空气就形成火焰了。

61

峨眉青蛙合唱团

zhè gè qīng wā hé chàng tuán zhù zài zhōng guó sì chuān shěng é méi shān wàn nián sì
这个青蛙合唱团住在中国四川省峨眉山万年寺

yī dài qīng yī sè de xiǎo qiǎo tǐ xíng
一带，清一色的小巧体形。

62

tā men de yīn yuè huì dìng shí kāi yǎn
它们的音乐会定时开演。

63

gē chàng jiā men pèi hé mò
歌 唱 家 们 配 合 默
qì   gē shēng shí ér gāo kàng jī
契 ， 歌 声 时 而 高 亢 激
áng   shí ér wǎn zhuǎn yōu yáng
昂 ， 时 而 婉 转 悠 扬 。

64

有机会去峨眉山旅游，一定别
忘了去听这奇妙的青蛙合唱。

浑身长毛的蛇

ruò bù zǐ xì kàn
若不仔细看

zhè tiáo shé　　nǐ huì yǐ
这条蛇，你会以

wéi tā shì tiáo dà máo mao
为它是条大毛毛

chóng　qí shí　　tā shì
虫。其实，它是

hún shēn zhǎng máo de shé
浑身长毛的蛇。

66

zhè zhǒng máo shé shēng huó zài běi měi zhōu de mò xī gē   tā men máo róng róng de yàng

这种毛蛇生活在北美洲的墨西哥，它们毛茸茸的样

zi fēi cháng kě ài   xìng gé yě hěn wēn shùn

子非常可爱，性格也很温顺。

67

suí zhe jì jié de biàn huà   tā men shēn
随着季节的变化，它们身
shang de máo yě   bù duàn gǎi biàn yán sè
上的毛也不断改变颜色。

68

毛蛇从来不伤人，孩子们都把它当做自己的小伙伴一起玩耍。

69

钓鱼为生的蛇

如果你去泰国旅游，别忘了看看"钓鱼蛇"。

76

钓鱼蛇钓鱼既不用钓竿和钩，也不用饵料，靠的是一身高超的本领。

71

nǐ kàn tā bù tíng de bǎi dòng liǎng tiáo chù xū cū xīn dà
你看，它不停地摆动两条触须。粗心大
yì de yú ér men bǎ nà wù rèn zuò měi wèi de yú liào le
意的鱼儿们，把那误认作美味的鱼料了。

一条条可怜的鱼儿，被钓鱼蛇用触须轻轻钓起，成了它的美味佳肴。

73

撒谎认路的蛇

shēng huó zài fēi zhōu mǎ dá jiā
生活在非洲马达加

sī jiā dǎo shang de zhè zhǒng shé kān
斯加岛上的这种蛇，堪

chēng jì yì zuì chà de shé yīn wéi
称记忆最差的蛇，因为

tā cóng lái bù rèn lù
它从来不认路。

74

在经历了许多次迷路的教
xùn zhī hòu   zhè zhǒng shé xué cōng míng le
训之后，这种蛇学聪明了。

měi cì wài chū shí　　　tā men yī biān pá xíng
每次外出时，它们一边爬行，
yī biān zài lù shang sǎ bái sè de fěn mò
一边在路上撒白色的粉末。

huí jiā shí shùn zhe bái sè fěn mò pá
回家时，顺着白色粉末爬，

bǎo zhèng bù huì mí lù le
保证不会迷路了。

77

sǎ fěn rèn lù　suī rán gāo míng　　dàn
撒粉认路虽然高明，但

yě yǒu měi zhōng bù zú　　yào shì yù shàng kuáng
也有美中不足。要是遇上狂

fēng huò bào yǔ děng huài tiān qì　　kě jiù zāo
风或暴雨等坏天气，可就糟

gāo le
糕了。

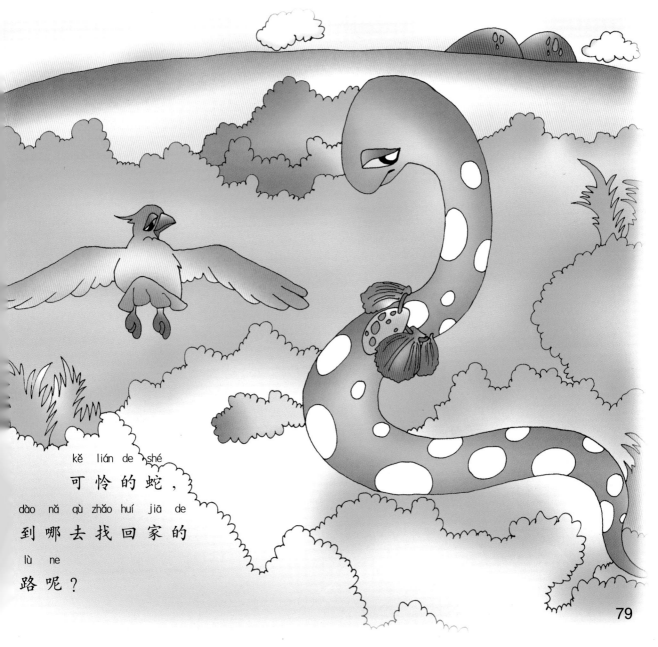

kě lián de shé
可 怜 的 蛇 ，
dào nǎ qù zhǎo huí jiā de
到 哪 去 找 回 家 的
lù ne
路 呢 ？

79

蛇油燃亮的灯

^{zài fēi zhōu jǐ nèi yà wān de luò bǐ dǎo shang} ^{yī dào}
在非洲几内亚湾的洛俾岛上，一到

^{yè wǎn} ^{jiā jiā hù hù dōu huì diǎn qǐ} ^{kù jiā hé}
80 夜晚，家家户户都会点起"库加河"。

kù jiā hé qí shí shì yī zhǒng shé de míng zi
"库加河" 其实是一种蛇的名字。

81

岛上居民捕来这种蛇晒干，在蛇身中间插一个灯芯，就制成了一盏"库加河"灯。

82

yī zhǎn shé dēng kě yǐ yòng sān sì gè wǎn shang
一 盏 蛇 灯 可 以 用 三 四 个 晚 上。

83

血眼喷敌的蟾

xuè kǒu pēn rén shì wū miè xiàn hài
血口喷人是诬蔑、陷害
bié rén de yī zhǒng è liè xíng wéi zhè li
别人的一种恶劣行为。这里
shuō de xuè yǎn pēn dí què shì yī zhǒng tè shū
说的血眼喷敌却是一种特殊
de fáng shēn běn lǐng
的防身本领。

生活在墨西哥热带荒漠中的角蟾，具有血眼喷敌的绝招。

85

角蟾遇到敌害的威胁又无法逃脱时，它的眼睛会越变越红，突然喷出一股鲜血，射程大约一米。

cuò shǒu bù jí de dí rén jīng huāng duǒ
措手不及地敌人惊慌躲
shǎn jiǎo chán chéng jī liū zhī dà jí
闪，角蟾乘机溜之大吉。

癞蛤蟆斗大公鸡

zài wǒ guó guǎng zhōu de yī gè cūn zhuāng
在我国广州的一个村庄

li yī chǎng qí yì de bǐ sài jí jiāng kāi
里，一场奇异的比赛即将开

shǐ cāi cai kàn zhǔ rén gōng shì shuí
始。猜猜看，主人公是谁？

88

shǒu xiān chū chǎng de shì shēn chuān huáng sè zhàn
首先出场的是身穿黄色战
páo de zhòng liàng jí xuǎn shǒu gōng jī xiān sheng
袍的重量级选手公鸡先生。

tiǎo zhàn zhě shì shēn chuān hóng sè zhàn páo
挑战者是身穿红色战袍
de qīng liàng jí xuǎn shǒu lài há ma lǎo dì
的轻量级选手癞蛤蟆老弟。

shuāng fāng duì zhì jǐ miǎo zhōng hòu

双方对峙几秒钟后，

dà gōng jī yī shēng jiān jiào pū xiàng há ma

大公鸡一声尖叫扑向蛤蟆

lǎo dì shàng qù luàn zhuó yī qì

老弟，上去乱啄一气。

91

情急之下，蛤蟆老弟只得胀圆肚皮张大嘴巴向大公鸡喷气。

nà me   zhè chǎng bǐ sài de lèi tái bà zhǔ shì shuí ne
那么，这场比赛的擂台霸主是谁呢？

xiǎng bù dào ba   bà zhǔ shì há ma lǎo dì
想不到吧，霸主是蛤蟆老弟！

原来，癞蛤蟆耳后腺和皮肤腺能分泌一种蓝色毒液。公鸡先生就是中了此毒，才与霸主无缘的。

zài fēi zhōu de jī ěr dà sēn lín li shēng huó zhe
在非洲的基尔大森林里，生活着
yī zhǒng yè jiān huì fā guāng de niǎo jiào yíng niǎo
一种夜间会发光的鸟，叫"萤鸟"。

会发光的萤鸟

95

它身体为椭圆形，除头部和翅膀长有羽毛外，其它部分都长有一层会发光的硬壳。

96

dāng dì jū mín duō bǎ zhè
当地居民多把这

zhǒng niǎo yǎng zài lóng zi li
种鸟养在笼子里。

97

夜行时，人们常常提上它，
当做电筒来照明使用。

98

吃蛇的鸟

xiǎo péng yǒu men tīng shuō guò
小朋友们听说过
zhuān mén ài chī shé shèn zhì gǎn
专门爱吃蛇、甚至敢
yǔ shé dòu de niǎo ma
与蛇斗的鸟吗?

99

tā jiù shì cháng wěi lán què   yī zhǒng yǔ máo xiān yàn měi lì   de niǎo
它 就 是 长 尾 蓝 鹊， 一 种 羽 毛 鲜 艳 美 丽 的 鸟。

糟糕，一条自以为是的蛇来了。

yī chǎng shé niǎo dà zhàn kāi shǐ
一场蛇鸟大战开始。

shèng lì de cháng wěi lán què
胜利的长尾蓝鹊，
zhè xià kě yào bǎo cān yī dùn le
这下可要饱餐一顿了。

103

ào dà lì yà de qín wěi niǎo bù
澳大利亚的琴尾鸟，不

jǐn yǐ huá lì měi guān zhù chēng ér qiě yòu
仅以华丽美观著称，而且又

yǐ néng gē shàn wǔ chū míng
以能歌善舞出名。

dāng yàn lì piào liàng de
当艳丽漂亮的
xióng niǎo yù dào xīn ài de cí
雄鸟遇到心爱的雌
niǎo shí xiān yào bǎ zhōu wéi
鸟时，先要把周围
de chǎng dì qīng lǐ yī fān
的场地清理一番。

kàn xióng niǎo kāi shǐ biǎo yǎn le
看！雄鸟开始表演了。

yí　　 tā hái zài wǔ mèi de zhǎn shì
咦！它还在妩媚地展示

zì jǐ piào liàng de wěi ba ne
自己漂亮的尾巴呢！

107

恭喜

qín wěi niǎo zài yuán
琴尾鸟在园
dīng niǎo de　　hūn lǐ
丁鸟的"婚礼"
shang dāng yuè shǒu　　chū jìn
上当乐手，出尽
le fēng tóu
了风头。

由于琴尾鸟演奏配合得
好，被誉为森林中团体演奏
小组中的第一名。

109

善吃蛇鼠的笑鸟

zài ào dà lì yà dōng bù de yī
在澳大利亚东部的一
xiē guàn mù lín li　　shēng huó zhe yī zhǒng
些灌木林里，生活着一种
néng fā chū guài xiào shēng de xiào niǎo
能发出怪笑声的笑鸟。

xiào niǎo cháng fā chū
笑鸟常发出
gē gē de xiào shēng
"格格"的笑声,
chǎo de rén men jiǎn zhí bù
吵得人们简直不
dé ān níng
得安宁。

111

<ruby>蛇<rt>shé</rt></ruby>、<ruby>蜥<rt>xī</rt></ruby><ruby>蜴<rt>yì</rt></ruby><ruby>和<rt>hé</rt></ruby><ruby>田<rt>tián</rt></ruby><ruby>鼠<rt>shǔ</rt></ruby><ruby>等<rt>děng</rt></ruby><ruby>有<rt>yǒu</rt></ruby><ruby>害<rt>hài</rt></ruby><ruby>动<rt>dòng</rt></ruby><ruby>物<rt>wù</rt></ruby>

<ruby>常<rt>cháng</rt></ruby><ruby>常<rt>cháng</rt></ruby><ruby>成<rt>chéng</rt></ruby><ruby>为<rt>wéi</rt></ruby><ruby>笑<rt>xiào</rt></ruby><ruby>鸟<rt>niǎo</rt></ruby><ruby>的<rt>de</rt></ruby><ruby>盘<rt>pán</rt></ruby><ruby>中<rt>zhōng</rt></ruby><ruby>餐<rt>cān</rt></ruby>。

qiáo yòu yī tiáo xiǎo shé bèi tā zhuō dào le
瞧！又一条小蛇被它捉到了。

由于它有杀蛇的本领，
人们从来不去伤害它。

zài fēi zhōu bù lóng dí de nóng cūn　jīng cháng yǒu jǐ zhī
在非洲布隆迪的农村，经常有几只
dà huī láng dào nóng jiā yǎo shāng chù qín　wēi hài jí dà
大灰狼到农家咬伤畜禽，危害极大。

当地居民为防治狼害，家
家驯养了一种叫"斯本大"的
聪明鸟。

zhè zhǒng niǎo yǔ máo xiān hóng tóu bù yǒu bái sè bān wén yóu yú tā xǐ huān
这种鸟羽毛鲜红，头部有白色斑纹。由于它喜欢

yòng zuǐ tán nòng shí tou gù rén men yě jiào tā shè jī niǎo
用嘴弹弄石头，故人们也叫它"射击鸟"。

yǒu qù de shì   yóu yú huī láng shēn shang yǒu   gǔ nán wén de chòu wèi   suǒ
有趣的是，由于灰狼身上有股难闻的臭味，所

yǐ   tā yī jiàn dào huī láng   jiù yàn wù de yòng zuǐ tán shí kuài qù dǎ tā
以，它一见到灰狼，就厌恶地用嘴弹石块去打它。

118

rén men jiù shì lì yòng tā
人们就是利用它
zhè gè tè diǎn lái fáng zhǐ huī
这个特点，来防止灰
láng jìn cūn wēi hài jiā chù de
狼进村危害家畜的。

能代人牧羊的鸵鸟

zài nán fēi yǒu zhǒng
在南非有种
bù xún cháng de　　mù yáng
不寻常的"牧羊
rén　　　jí jīng guò xùn
人"，即经过训
liàn de tuó niǎo
练的鸵鸟。

120

kàn tā de yàng zi yǎn rán xiàng
看它的样子，俨然像
yī wèi chèn zhí de xiǎo yáng guān er
一位称职的小羊倌儿。

rú guǒ yǒu rén lái tōu yáng   nà kě jiù shì zì tǎo kǔ chī le
如果有人来偷羊，那可就是自讨苦吃了。

瞧，一条不知深浅的大灰狼正在打羊群的主意呢！

123

jié guǒ kě xiǎng ér zhī
结果可想而知，

dà huī láng luò huāng ér táo
大灰狼落荒而逃，驼

niǎo yòu yī cì dé dào jiā jiǎng
鸟又一次得到嘉奖。

tuó niǎo shì shì jiè shang
鸵鸟是世界上
zuì dà de niǎo lèi   shēng zhǎng
最大的鸟类，生长
zài fēi zhōu běi bù de shā mò
在非洲北部的沙漠
dì qū
地区。

tā jí shàn bēn pǎo
它极善奔跑，
néng zhuī shàng liáng zhǒng kuài mǎ
能追上良种快马，
hái kě yuè guò wǔ mǐ gāo de
还可越过五米高的
zhà lan
栅栏。

bù guò tuó niǎo zài tiāo xuǎn shí wù fāng miàn yǒu
不过鸵鸟在挑选食物方面有
xiē yú chǔn   tā jīng cháng yīn chī yī xiē bō li
些愚蠢，它经常因吃一些玻璃、
zuàn shí děng   bèi yē de sǐ qù huó lái
钻石等，被噎得死去活来。

bèi liè rén zhuī gǎn de tuó niǎo wèi tuō lí xiǎn jìng　biàn jiāng tóu wǎng
被猎人追赶的鸵鸟为脱离险境，便将头往

shā duī li yī zuān　　zì yǐ wéi liè rén kàn bù jiàn le ne
沙堆里一钻，自以为猎人看不见了呢！

128

jié guǒ　　tuó niǎo wǎng wǎng qīng yì de chéng le liè rén de fú lǔ

结果，鸵鸟往往轻易地成了猎人的俘虏。

小巧可爱的猫头鹰

zài nán měi yǒu zhǒng xiǎo qiǎo kě ài de māo tóu yīng
在南美有种小巧可爱的猫头鹰，

tā de gè tóu yǔ má què dà xiǎo yī yàng
它的个头与麻雀大小一样。

它栖居在沙漠地区的巨大仙人掌上，性情十分调皮。

tā jí shàn wěi zhuāng yī dàn bèi bǔ biàn huì tǎng zhe zhuāng sǐ
它极善伪装，一旦被捕，便会躺着装死。

132

趁人们不注意，它便突然翻身展翅，像流星一样地飞走。

133

qiáng dào   tā qiǎng wǒ   de fáng zi
"强盗！它抢我的房子。"

bèi xiǎo māo tóu yīng bà zhàn le fáng zi de zhuó
被小猫头鹰霸占了房子的啄

mù niǎo wěi qū de jiào zhe
木鸟委屈地叫着。

134

不过，由于它小巧可爱，
人们便常捕捉它玩赏。

澳洲四眼鱼

zhè shì míng fù qí shí de sì
这是名副其实的四
yǎn yú   tā de měi zhī yǎn jing yǒu
眼鱼，它的每只眼睛有
liǎng gè tóng kǒng
两个瞳孔。

137

在水面上游动时，
zài shuǐ miàn shang yóu dòng shí

它的眼睛一半在水上，
tā de yǎn jing yī bàn zài shuǐ shang

一半在水下。
yī bàn zài shuǐ xià

138

四个瞳孔各尽其职：两个看水面上的物体，两个看水面下的情况。

139

yóu yú néng gòu yǎn guān bā fāng
由于能够眼观八方，

dāng hǎi niǎo huò dà yú xí lái shí sì
当海鸟或大鱼袭来时，四

yǎn yú zǒng néng jí shí fā xiàn táo zhī
眼鱼总能及时发现，逃之

yāo yāo
夭夭。

rú guǒ gěi yú lèi cè zhì shāng　　nián yú　de　zhì shāng yī dìng hěn gāo
如果给鱼类测智商，鲇鱼的智商一定很高。

zhè gè jié lùn shì cóng nián yú zhuō lǎo shǔ de fāng fǎ zhōng dé chū de
这个结论是从鲇鱼捉老鼠的方法中得出的。

cōng míng de nián yú yóu dào àn biān qiǎn shuǐ zhōng qù   dù pí

聪明的鲇鱼游到岸边浅水中去，肚皮

xiàng shàng piāo zài shuǐ miàn shang   hái fā chū zhèn zhèn xīng chòu

向上漂在水面上，还发出阵阵腥臭。

老鼠发现了这条"死鱼"，泅水过
去，咬住鲇鱼的尾巴往岸上拖，以为捡
了个大便宜。

143

sǐ yú tū rán
"死鱼"突然
yī fān shēn xiàng shēn shuǐ zhōng
一翻身，向深水中
piāo qù lǎo shǔ shě
"漂"去。老鼠舍
mìng bù shě cái sǐ bù sōng
命不舍财，死不松
kǒu bèi nián yú tuō dào shēn
口，被鲇鱼拖到深
shuǐ zhōng
水中。

144

yú shì yān
于是，淹
sǐ de lǎo shǔ bèi zú
死 的 老 鼠 被 足
zhì duō móu de nián yú
智 多 谋 的 鲇 鱼
dāng chéng le měi cān
当 成 了 美 餐。

145

会发电的鱼

zài nán měi zhōu
在南美洲
de hé liú li shēng
的河流里，生
huó zhe yī zhǒng míng jiào
活着一种名叫
diàn màn de yú
电鳗的鱼。

146

shēn cháng yuē liǎng
身长约两
mǐ de diàn màn tǐ
米的电鳗，体
nèi yǒu tè shū de fā
内有特殊的发
diàn qì guān
电器官

147

diàn mán bǔ shí de shí hou   zǒng shì qiāo qiāo de yóu
电鳗捕食的时候，总是悄悄地游

jìn yú qún měng de fā chū sān bǎi fú diàn yā de diàn
近鱼群，猛地发出三百伏电压的电。

148

具有强大杀伤力的电流在水中扩散，来不及逃走的鱼儿都被电死了，电鳗就可以慢慢享用了。

149

谎敬的发光鱼

shēn shēn de hǎi dǐ shì tài yáng zhào shè bù
深深的海底是太阳照射不
dào de dì fang nà li guāng xiàn àn dàn yǒu
到的地方，那里光线暗淡，有
shí shèn zhì yī piàn qī hēi
时甚至一片漆黑。

150

瞧！这里有一种会发
光的鱼。它头部的发光器
在黑暗中十分耀眼。

151

guāng liàng xī yǐn le yī
光亮吸引了一
xiē yú cháo tā yóu lái zhè
些鱼朝它游来，这
xiē yú ér de mìng yùn shì fú
些鱼儿的命运是福
hái shì huò ne
还是祸呢？

bèn guāng liàng ér lái de xiǎo yú men hěn nán táo tuō
奔光亮而来的小鱼们，很难逃脱
fā guāng yú nà zhāng dà zuǐ ba hé ruì lì de yá chǐ
发光鱼那张大嘴巴和锐利的牙齿。

水上霸王六星蜘蛛

shēng huó zài shuǐ miàn shang de liù xīng zhī zhū
生活在水面上的六星蜘蛛

bèi chēng zuò shuǐ shàng bà wáng
被称作"水上霸王"。

154

它在水面上
疾走如飞，捕捉
猎物。它不仅吃
虫子，就连小鱼
遇上它，也很难
幸免于难。

155

你看，六星蜘蛛用腿
nǐ kàn　　liù xīng zhī zhū yòng tuǐ

轻击水面，它在诱惑小鱼
qīng jī shuǐ miàn　　tā zài yòu huò xiǎo yú

前来凑热闹呢。
qián lái còu rè nào ne

shuǐ shàng bà wáng zhuā zhù le shàng dàng de xiǎo yú
水上霸王抓住了上当的小鱼，

tān ruǎn de xiǎo yú chéng le zhī zhū de měi wèi
瘫软的小鱼成了蜘蛛的美味。

157

捕鸟的蜘蛛

zài xī yìn dù de xiāng jiāo lín li shēng huó
在西印度的香蕉林里，生活

zhe yī zhǒng shēn cháng èr shí lí mǐ de shí niǎo zhū
着一种身长二十厘米的食鸟蛛，

tā quán shēn zhǎng mǎn hóng máo
它全身长满红毛。

158

"敌人来了！"它急速摩擦红毛……

159

zài xiāng jiāo lín li tā bù mǎn le jiān shí de bǔ niǎo dà wǎng
在香蕉林里，它布满了坚实的捕鸟大网。

zāo gāo　　yī zhī kě lián de xiǎo niǎo bèi wǎng zhān zhù le
糟糕！一只可怜的小鸟被网粘住了。

xiǎo niǎo qiú jiù de shēng yīn bèi shí niǎo zhū tīng dào le
小鸟求救的声音被食鸟蛛听到了，

zhǐ jiàn tā fēi sù gǎn lái jiāng xiǎo niǎo chī diào
只见它飞速赶来，将小鸟吃掉。

shí ròu kūn chóng niú méng zài qiú hūn shí　　fēi cháng jiǎng jiu lǐ jié
食肉昆虫牛虻在求婚时，非常讲究礼节。

163

zài qiú hūn qián　　tā wèi shén me xiān bǔ zhuō yī zhī　xiǎo chóng ne
在求婚前，它为什么先捕捉一只小虫呢？

yuán lái   tā shì bǎ xiǎo chóng bāo
原来，它是把小虫包

zhuāng chéng lǐ pǐn sòng gěi cí chóng
装 成礼品送给雌虫。

165

gōng xǐ　　cí chóng jiē shòu qiú hūn la
恭喜！雌虫接受求婚啦！

婚后，雌虫便撕开礼品，饱餐一顿。

167

爱跳舞的小蜜蜂

zài mì fēng jiā zú zhōng shēng huó zhe yī zhī fēng wáng
在蜜蜂家族中生活着一只蜂王

hé xǔ duō gōng fēng hái yǒu shǎo shù xióng fēng gōng fēng
和许多工蜂，还有少数雄蜂。工蜂

shì zuì qín láo de
是最勤劳的。

chūn tiān dào le   mì fēng dào wài miàn qù xún zhǎo mì yuán
春天到了，蜜蜂到外面去寻找蜜源。

cǎi dào mì de fēng xùn sù fēi huí qù
采到蜜的蜂迅速飞回去，
bù tíng de tiào qǐ wǔ lái
不停地跳起舞来。

170

tiào wǔ shì mì
跳舞是蜜
fēng wáng guó de tè shū
蜂王国的特殊
yǔ yán
语言。

171

zhǎo dào de mì yuán jiù yī chuán shí shí chuán
找到的蜜源，就一传十，十传
bǎi yuè lái yuè duō de mì fēng dōu
百，越来越多的蜜蜂都
qù cǎi mì le
去采蜜了。

172

chǎn yú zhōng guó tái wān shěng de yíng guāng yì fèng
产于中国台湾省的荧光翼凤

dié shì yī zhǒng fēi cháng zhēn guì de hú dié zài yáng
蝶是一种非常珍贵的蝴蝶。在阳

guāng zhào shè xià tā men kě yǐ
光照射下，它们可以

chéng xiàn wǔ cǎi bīn fēn de yán sè
呈现五彩缤纷的颜色。

五彩缤纷的蝴蝶

173

颜色的变化主
要靠凤蝶的后翅，
它时而呈现奇妙的
紫蓝色。

174

shí ér biàn huàn wéi xuàn lì de jīn huáng sè
时而变幻为绚丽的金黄色。

时而显出青翠的绿色。原来，在荧光翼
凤蝶的翅膀上，有一层粉状鳞片。光线的折
射使这层鳞片呈现出斑斓的色彩。